Direction générale : Gauthier Auzou
Responsable éditoriale : July Zaglia et pour la présente édition : Marine Courvoisier
Mise en pages : Alice Nominé
Responsable fabrication : Jean-Christophe Collett – Fabrication : Nicolas Legoll
www.auzou.fr

# Pinocchio

D'après le conte de Carlo Collodi
Illustrations de Mayana Itoïz

AUZOU

Il était une fois un menuisier qui s'appelait Gepetto et qui aimait sculpter toutes sortes d'objets. Mais le vieil homme, très habile de ses mains, se sentait bien seul. Son rêve le plus cher était de fabriquer un joli pantin de bois qui saurait lui tenir compagnie. Il l'appellerait Pinocchio.

Un beau jour, Gepetto trouva un bon morceau de bois et entreprit de le tailler. Il commença à sculpter un visage à son pantin, mais quelle ne fut pas sa stupeur lorsqu'il vit que ses yeux remuaient et que son nez s'allongeait !

Le pantin était vivant ! À peine Pinocchio fut-il achevé qu'il se jeta dans les bras de son papa pour l'embrasser. Très heureux, le vieux menuisier lui confectionna des habits et lui donna des livres de classe. Car pour devenir un vrai petit garçon, Pinocchio devait aller à l'école.

Le lendemain, notre jeune pantin prit le chemin des écoliers. Il arriva sur une place où un théâtre ambulant donnait un spectacle. Pinocchio assista à la représentation, au lieu de se rendre à l'école. Le spectacle achevé, il était temps de rentrer chez lui.

Au détour d'un chemin, il trouva
cinq pièces en or sur le sol.
« Quelle chance, se dit-il, je vais pouvoir
les rapporter à mon papa. »

À peine eut-il ramassé les pièces qu'il rencontra
un renard boiteux et un chat aveugle.
« Quelles belles pièces d'or tu as là ! dit le renard,
je connais le moyen de doubler ta fortune. Suis-nous au pays
des Nigauds, nous te montrerons le Champ des Miracles.
– C'est vraiment mon jour de chance ! » pensa alors le petit pantin
en suivant les deux compères.

Ils marchèrent longtemps, jusqu'au crépuscule.
Pinocchio s'inquiéta :
« C'est encore loin ? Car je dois retrouver mon papa !
– Ce n'est plus très loin, patience. »
Et soudain, le renard se jeta sur Pinocchio pour lui voler
son argent. Le pantin s'enfuit à toutes jambes.
Mais, crac ! Un piège se referma sur sa cheville.

Une fée, voyant Pinocchio en mauvaise posture,
vint le délivrer. Quand il fut remis de ses émotions,
la fée lui dit :
« Rentre vite chez toi et rapporte les pièces d'or à ton papa.
– Je les ai perdues », répondit Pinocchio.
Comme il prononçait ce mensonge, son nez se mit à s'allonger,
s'allonger à tel point que la fée se mit à rire aux éclats.

« Pourquoi vous moquez-vous de moi ? demanda le pantin, soudain honteux.

– Je ris des mensonges que tu oses dire. »

Aussitôt, d'un coup de baguette magique, elle redonna au nez de Pinocchio sa taille normale.

« Allez  hop ! Va retrouver ton père qui est très inquiet ! »

Repenti, Pinocchio décida de devenir un brave garçon.

Hélas ! Il rencontra sur la route des galopins qui voulaient
se rendre au pays des Jouets. Il monta dans une voiture
avec plein d'enfants et voyagea toute la nuit.

Au pays des Jouets,
Pinocchio ne fit que s'amuser.
Et le lendemain matin, il eut l'horrible surprise
de constater que deux oreilles d'âne avaient
poussé sur sa tête.
« Si j'étais allé à l'école, tout cela ne serait
jamais arrivé ! Je veux revoir mon papa ! »
se lamenta Pinocchio.

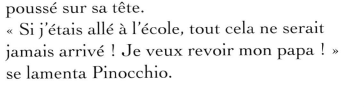

La fée, qui avait entendu Pinocchio, lui dit que son père, parti sur ses traces cette nuit, s'était fabriqué une barque pour le chercher de l'autre côté de l'océan. Elle mena donc Pinocchio au bord de la mer. Soudain, une gueule géante le happa et il se retrouva dans le ventre d'un monstre marin.

Il découvrit son papa, tristement assis sur sa barque, une bougie
à la main. Avec une grande joie, il se jeta dans ses bras.
« Oh mon papa ! Je te retrouve enfin ! » s'exclama Pinocchio.

C'est ainsi qu'ils escaladèrent la gorge de la bête,
qui était une baleine, et se retrouvèrent sur le rivage,
fatigués mais heureux.
Ils s'endormirent et à leur réveil, Pinocchio était devenu
un vrai petit garçon. Gepetto serra très fort son fils dans ses bras.
À côté d'eux, gisait un vieux morceau de bois…